Ma vie ne sait pas nager

De la même auteure chez Québec Amérique

Jeunesse

SÉRIE FLAVIE

Une histoire tirée par la queue, coll. Bilbo, 1999.

Une histoire du tonnerre, coll. Bilbo, 2000.

Une histoire à dormir debout, coll. Bilbo, 2001.

Une histoire tout feu tout flamme, coll. Bilbo, 2002.

Mon prof est une sorcière, coll. Bilbo, 2004.

Élaine Turgeon

Ma vie ne sait pas nager

QUÉBEC AMÉRIQUE Jeunesse

Catalogage avant publication de Bibliothèque et Archives Canada

Turgeon, Élaine
Ma vie ne sait pas nager
(Titan+ ; 64)
Pour les jeunes.
ISBN 2-7644-0467-0
I. Titre. II. Collection.
PS8589.U697M32 2006   jC843'.54   C2005-942078-2
PS9589.U697M32 2006

 Conseil des Arts   Canada Council
du Canada   for the Arts

Nous reconnaissons l'aide financière du gouvernement du Canada par l'entremise du Programme d'aide au développement de l'industrie de l'édition (PADIÉ) pour nos activités d'édition.

Gouvernement du Québec – Programme de crédit d'impôt pour l'édition de livres – Gestion SODEC.

Les Éditions Québec Amérique bénéficient du programme de subvention globale du Conseil des Arts du Canada. Elles tiennent également à remercier la SODEC pour son appui financier.

Québec Amérique
329, rue de la Commune Ouest, 3ᵉ étage
Montréal (Québec) H2Y 2E1
Téléphone : (514) 499-3000, télécopieur : (514) 499-3010

Dépôt légal : 1ᵉʳ trimestre 2006
Bibliothèque nationale du Québec
Bibliothèque nationale du Canada

Révision linguistique : Diane Martin
Mise en pages : André Vallée – Atelier typo Jane
Conception graphique : Karine Raymond

Imprimé au Canada

*L'auteure tient à remercier Ariane Moffat
et Audiogram d'avoir accepté qu'un extrait
de la chanson «Dans un océan», de l'album Aquanaute,
figure comme titre du présent roman.*

NOTE DE L'AUTEURE

D'aussi loin que je me souvienne, j'ai toujours entretenu des rapports singuliers avec la mort. Mon adolescence fut particulièrement fertile en ce sens. À tel point qu'à force de me vautrer dans une idée toute romantique de la mort, j'ai voulu mourir, à l'âge de quinze ans.

De toute évidence, j'ai raté mon suicide, mais je peux aujourd'hui affirmer que j'ai finalement réussi à me réconcilier avec la vie.

Dix-sept ans plus tard, écrire ce livre m'est apparu nécessaire, pour me libérer de cette jeune fille de quinze ans qui ne supportait plus d'être en vie et afin, peut-être, d'en aider d'autres à choisir d'aimer la vie et de se laisser aimer par elle.

Que cette lecture, loin de décourager, puisse accompagner vers le choix de vivre et d'aimer vivre.

Élaine Turgeon

À ma mère
À mon père
Pour la vie

« La vie ne sait pas nager.
Je rame, je pédale, je chavire.
Je fais tout ce que je peux
pour ne pas couler. »

Ariane Moffat
Aquanaute

Première partie

La vie a le génie de nous surprendre quand on s'y attend le moins. Comme la tempête qui se lève sur un lac calme juste à l'instant où on venait d'enlever son gilet de sauvetage. C'est toujours ce moment-là que choisit la vie pour cogner. Une minute d'inattention, et PAF!, la chaloupe en profite pour percer et les rames pour couler. On ne peut se fier à rien. La vie est une chienne qui se noie en vous entraînant avec elle.

Un

Geneviève n'avait eu aucune difficulté à se procurer les clés. La piscine, c'était sa deuxième maison. Elle y passait le plus clair de son temps. Quand elle ne s'entraînait pas avec les autres membres de son club de natation, elle trempait dans le petit bassin, comme pour se délester de la lourdeur qu'elle charriait en permanence avec elle.

L'eau avait été, pendant longtemps, une alliée fidèle. Héritage d'une époque dont elle-même ne se souvenait pas, lorsque sa mère, enceinte des jumelles, venait chercher secours auprès du fleuve.

« Il serait si facile de m'avancer dans l'eau et de m'y laisser noyer », pensait Jeanne alors.

Au lieu de cela, elle y avait puisé la force pour mener à terme sa grossesse et surmonter le déluge de larmes qui la submergeait de plus en plus souvent, depuis qu'elle se savait enceinte.

«Qu'arrivera-t-il à ces deux petites bêtes, lovées là où habite ma douleur? Tout cet ennui qui creuse et recreuse des espaces béants en moi. Comment mettre au monde des êtres pleins quand je suis moi même envahie par le vide? Comment vais-je faire pour aimer et prendre soin de ces deux vies alors que j'y arrive si mal pour moi-même?»

Jeanne avait donné prématurément naissance – comme c'est souvent le cas pour des jumeaux – à deux filles. Chacune avait, dès son premier contact avec l'extérieur, revendiqué son unicité : Lou-Anne en hurlant à s'en déchirer les poumons, Geneviève en n'émettant aucun son, à tel point qu'on avait cru, l'espace d'un court instant, avoir perdu une des jumelles.

Curieusement, après son accouchement, la vie avait semblé plus simple pour Jeanne. Comme si la venue de ces deux bébés et tous les soins qu'ils réclamaient la détournaient de sa propre douleur.

Et il y avait Jacques. Petite bouée lumineuse dans sa nuit noire. Ils s'étaient rencontrés à un arrêt d'autobus. Quand il l'avait fait monter à bord, Jeanne pleurait. Il lui avait offert un mouchoir et lui avait gentiment proposé de la raccompagner chez elle, après qu'elle eut effectué son huitième trajet entre la rue Sherbrooke et la rue Henri-Bourassa. Jacques avait garé son autobus dans une zone interdite, devant son appartement de la rue Rachel, et avait été solidement réprimandé par son supérieur pour n'avoir pas conduit le véhicule au garage de la STCUM immédiatement après son quart de travail.

Dix-huit ans plus tard, il arrivait encore à Jeanne d'attendre son mari à l'arrêt d'autobus. Quand elle montait à bord, Jacques lui offrait toujours un mouchoir. Elle le prenait, pour la forme, et s'assoyait sur un de ses bancs habituels, ceux d'où elle pouvait capter, dans un des rétroviseurs, les regards amoureux et complices de son mari.

Mais Geneviève ne pensait ni à sa mère ni à son père lorsqu'elle fit tourner la clé dans la serrure de la porte du vestiaire de la piscine, à vingt-trois heures quarante-trois. Elle se dit simplement que c'était la dernière fois qu'elle accomplissait ce geste.

Je suis entrée dans le plancher.
J'y fus si mal à l'aise
Que je regrettai l'avant.
Le plancher était ~~glacé~~ froid
et encore plus intransigeant que moi.
Il ne me toléra pas
Et me coinça entre un clou
Et un noeud (de son bois.)

J'y suis toujours.
Genviève – 11 janvier 02

Si je pouvais seulement m'enfuir de ma vie,
me soustraire à mon ennui.

Il faut que je bouge. Courir, marcher, n'importe quoi. Pourvu que ça m'éloigne des images qui n'arrêtent pas de se former dans ma tête. Toute cette eau qui m'oppresse et m'étouffe. Tant d'eau. Toute cette eau. Et Geneviève en dessous. Je n'en peux plus. Ma sœur m'a laissée ici et je n'en finis plus de me noyer. Toute seule.

Deux

Tout avait été soigneusement mis en scène, comme seule Geneviève savait le faire. Après tout, ne disait-on pas d'elle qu'elle était douée pour la tragédie ? En fait, Geneviève était douée tout court. Ses professeurs de français affirmaient qu'elle avait une écriture inspirée. Sombre, mais inspirée. Elle accumulait les récompenses sportives. Les murs de sa chambre étaient couverts d'illustrations qui, bien que morbides, témoignaient d'un certain talent. Le dessin lui avait toujours permis d'extérioriser les monstres qui la rongeaient de l'intérieur.

Le matin même, elle avait dérobé, dans la pharmacie de sa mère, un flacon de somnifères – Jeanne venait de renouveler sa prescription – et deux d'acétaminophène. Geneviève aurait pu également arrêter son choix sur d'autres petits flacons de gélules ou de pastilles colorées, car l'armoire en contenait une bonne quantité, mais comme elle ne connaissait pas leur usage ni surtout leurs effets, elle préféra prendre ce qui lui était familier. Après tout, il lui arrivait, comme à sa mère, de souffrir d'insomnie et de migraines, et ces fidèles comprimés lui avaient toujours été d'un précieux secours. Pourquoi en serait-il autrement aujourd'hui ?

C'était la veille de son anniversaire. Quinze ans. Comme son père aimait le lui rappeler, elle amorcerait sa seizième année.

Habituellement, la famille Boisclair soulignait l'anniversaire des jumelles avec faste. Comme si, pour compenser le fait qu'elles avaient la même date de naissance, il fallait célébrer en double. Mais cette année, Geneviève en avait décidé autrement.

Elle avait apporté son disque compact préféré du moment en sachant que la chaîne stéréo de la piscine permettait de faire jouer une pièce en boucle. Elle avait donc soigneusement choisi la piste qui l'accompagnerait. Les paroles de la chanson d'Ariane Moffat résonnaient dans sa tête :

«Je mets mes branchies et je m'enfouis.
Sous l'eau, c'est tellement moins pesant.
Je rince tout ce que j'ai en dedans.
Sous l'eau, c'est fou comme je me détends.
Je rêve de vivre dans un océan.»

L'adolescente connaissait les paroles par cœur ; bien que la chanson ait été plutôt gaie, elle devenait tout autre dans la bouche de Geneviève. Comme si cette dernière y décelait un étrange côté sombre et connu d'elle seule.

La pièce musicale tournait en boucle depuis plus de huit heures quand le groupe 203, constitué d'élèves de deuxième secondaire, pénétra dans l'enceinte de la piscine.

Quand je suis triste, je me coupe les cheveux.
Lorsque j'atteins la racine, je change d'extrémité.
Je me coupe les ongles jusqu'au sang.
Je me lime les dents, je me ~~taiſ~~ savonne jusqu'à l'os.
Je m'arrête toujours avant la fin.
Il faut CROIRE que soustraire soulage. ⊖

Genviève - 12 janvier 02

(+ tard)

Je compte les heures qui me séparent du moment
où je **pourrai** enfin aller dormir. Si je pouvais
seulement **dormir**. Les jours et les heures
s'égrainent à un rythme insoutenable. J'ai
l'impression que chaque seconde dure une
éternité. Cet ennui ne prendra donc jamais fin?
Je m'enlise dans une mélasse, dans une mare de
sables mouvants qui n'en finissent plus de me (tirer)

vers le fond; à la **différence** que mes
sables mouvants à moi sont sans fond,

sans fin.

Sommes-nous le jour ou la nuit ? Le réveille-matin indique onze heures onze. Je fais un vœu. N'importe quoi, pourvu que ça mette un peu d'espoir dans cette foutue journée. J'ai dormi chez Mamie. Mon père est venu me reconduire ici parce que Jeanne hurlait et frappait tout ce qui lui tombait sous la main. Y compris moi.

Il a dit que je serais mieux ici. Je ne suis pas certaine qu'il ait eu raison. La bouche de ma grand-mère est déformée par une colère qui ne cesse de croître, d'heure en heure. Ses petits yeux gris lancent des jets de pierre à tout ce qu'ils rencontrent. Je la soupçonne d'avoir passé la nuit éveillée, assise sur son lit, à maudire la vie. Elle s'est enfermée dans un silence que je connais trop bien. Celui de ma mère. Le signe précurseur d'une tempête qui n'épargnera rien ni personne, surtout pas elle.

Les reproches fusent de toutes parts depuis hier. C'est à qui jetterait en premier la faute sur l'autre : ma grand-mère sur ma mère, ma mère sur l'école, l'école sur mes parents. Ma mère a même reproché à ma grand-mère de lui avoir transmis des gènes pourris. Ce sont les mots qu'elle a employés. Des gènes pourris qui l'avaient pourrie, elle, et qu'elle avait ensuite transmis à sa propre fille.

Pour une raison que j'ignore, ma mère fait volontairement abstraction de moi. Comme si je n'existais pas. Ou comme si, en perdant une de ses jumelles, elle avait perdu les deux à la fois. L'une n'allant pas sans l'autre. Comme la paire de chaussures qui, perdant son pied droit, n'est plus du tout une paire de chaussures, juste un pied gauche. Et le pire, c'est qu'elle n'a pas complètement tort : il n'y aura plus jamais de jumelle. Il n'y aura plus que moi. Que moi.

Trois

La piscine était dotée d'un système d'éclairage qui rendait possible la diffusion de la lumière sous l'eau. Geneviève n'avait
jamais aimé nager dans une eau sombre. Elle se souvenait trop
bien du sentiment de panique qui l'envahissait chaque fois que
l'eau brouillée d'un lac ou du fleuve, la nuit, ne lui permettait
plus de voir ses pieds. C'était son repère : voir ses pieds. Tout le
monde la trouvait ridicule. Comment une si bonne nageuse
pouvait-elle avoir peur ? Et peur de quoi, au juste ? Ce n'était
pas rationnel. Il était question de monstres sous-marins qui,
comme chacun le sait, hantent les cours d'eau, mais également
de forces obscures et sans nom qui, elle le pressentait, l'atti-
reraient vers le fond sans plus jamais la laisser remonter à la
surface. Autant l'eau était pour elle une source de bien-être,
autant elle pouvait donner naissance à un lot de peurs dévorantes.

Geneviève avait pris soin d'emporter son pyjama, celui que
lui avait offert sa mère lors de son dernier anniversaire. C'était

une tradition chez les Boisclair : chaque année célébrée était l'occasion de recevoir un nouveau pyjama. C'est Jeanne qui avait instauré cette coutume, en souvenir de la première année de vie des jumelles, alors que les journées filaient si rapidement que la jeune mère, débordée, ne trouvait plus le temps de s'habiller et se retrouvait vêtue d'un pyjama de flanelle du matin au soir.

Dans le vestiaire, Geneviève plia soigneusement ses vêtements avant de les mettre dans un sac de plastique. Le concierge le trouverait au fond de la grande poubelle grise. Il y aurait aussi son sac à dos contenant un recueil de poésie de Charles Baudelaire, un carnet renfermant une multitude de dessins et de textes raturés, et des restes de coquillages réduits en poudre dans le fond d'une pochette, souvenir du dernier passage de la famille au bord de la mer.

Tous les séjours au bord de l'eau étaient l'occasion d'une « fouille », comme elle les appelait, coquillages et cailloux faisant office de trésors. Le plaisir résidait uniquement dans l'intensité du moment consacré à la recherche. Une fois qu'elle en avait déniché un qui répondait à ses critères de perfection, elle l'aban-donnait au creux d'une poche ou d'un sac et partait immé-diatement en quête d'un autre, nécessairement plus beau, plus doux, plus brillant.

Les poches de ses vêtements contenaient des coquillages décatis et des cailloux écorchés, au grand désespoir de son père qui les trouvait au fond de la laveuse et qui se refusait à les jeter. Comment un objet pouvait-il passer du statut de trésor à celui de déchet simplement en transitant d'une plage vers une poche ? Jacques plaçait chacun des trésors déchus de sa fille dans une boîte à chaussures. Les boîtes s'entassaient au sous-sol. On ne jette pas les souvenirs heureux. Même ceux qu'on oublie. Geneviève avait glissé, dans la poche droite de son chemisier de pyjama, une toute petite mèche de ses cheveux blond cendré. Celle que sa mère avait coupée et conservée alors que les jumelles n'avaient qu'un an. Un ruban de satin bleu pâle retenait ensemble les cheveux délicats et soyeux. Sans savoir exactement pourquoi, Geneviève avait toujours eu une fascination pour cette mèche de cheveux. La sentir au fond de sa poche lui procurerait un sentiment de sécurité.

Après avoir programmé la chaîne stéréo et enfilé son pyjama, Geneviève entreprit de souffler le matelas gonflable. Elle était allée le chercher, la veille, au sous-sol. Elle avait longtemps réfléchi à la manière la plus sûre d'arriver à ses fins sans ressentir le moindre mal. Partir, oui, mais sans souffrir. Le sommeil lui avait toujours été d'un précieux secours : bouée fidèle au cours des nombreux naufrages précédents.

Assise sur le bord de la piscine, les pieds dans l'eau, sa tête tournait. Tout cet air qui passait de ses poumons au matelas l'étourdissait. Elle ferma la valve, laissa flotter le matelas sur l'eau calme et s'étendit sur le dos. Son regard se posa sur le plafond. Elle connaissait par cœur le moindre de ses détails. Chaque lampe, chaque poutre, chaque trou dans le plâtre pouvaient l'informer de l'endroit où elle se trouvait dans la piscine.

Machinalement, elle entreprit de compter, un à un, les petits drapeaux de couleur qui pendaient au-dessus de sa tête. Quand elle eut atteint le compte final, elle recommença, puis une autre fois, pour se donner du courage.

Plus tôt, elle avait déposé les flacons de pilules sur le bord du bassin, accompagnés d'une grande bouteille d'eau de source. Lentement, elle se souleva sur les coudes, sortit les jambes de l'eau pour s'asseoir en tailleur et dévissa le bouchon de chacun des trois flacons. Elle aligna ensuite ceux-ci parallèlement à la bordure de céramique turquoise. Elle remarqua que les comprimés de somnifères avaient la même teinte que la céramique. C'est fou ce que certains détails semblent nous faire signe quand on en a désespérément besoin. Geneviève décida que l'agencement de la couleur du somnifère et de la céramique lui faisait signe de poursuivre.

Tout se passa très lentement sur le carrelage turquoise. Comme si le temps s'accordait maintenant au rythme de chacune des gorgées que prenait Geneviève.

Un lac, la nuit.

Moi, seule, au milieu de ma vie.

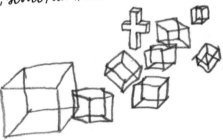

Genviève - 15 janvier 02

(+ tard)

Je ne m'aime pas beaucoup.

Je voudrais être une autre.

Il me semble que tout est mieux ailleurs,

(hors de moi.)

Est-ce que tout le monde ressent ça ?
Et si tout le monde est empêtré dans

sa solitude et son ennui, comme moi,
pourquoi tout le monde fait-il semblant ?
Est-ce que tout le monde a mal, comme j'ai mal ?
Est-ce qu'on a tous une ~~roche~~ pierre accrochée
au cou qui nous entraîne irrémédiablement

vers le fond ? ↓

Et si oui,   pourquoi certains coulent et
d'autres arrivent à flotter ?
pourquoi, moi, je ne flotte pas ???

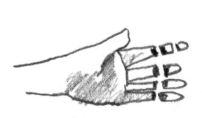

22 janvier, quatorze heures douze...

Le téléphone n'arrête pas de sonner. Ma grand-mère ne bronche pas et je sens qu'il vaut mieux ne pas la contredire en allant répondre. Même si nous n'avons pas faim, ni l'une ni l'autre, j'ai préparé quelque chose pour nous deux. La soupe a refroidi puis s'est figée. Je suis passée à la maison pour récupérer des affaires. À mon arrivée, mon père s'est levé pour me prendre dans ses bras. Trop fort. Il portait les mêmes vêtements qu'hier. Sans dire un mot, il s'est penché et s'est remis à frotter le prélart de la cuisine. Comment peut-on laver un plancher dans un moment pareil ? En levant la tête, j'ai vu qu'il avait également lavé les armoires ; la vaisselle, les casseroles et une quantité innombrable de plats de plastique reposaient, empilés sur le comptoir. L'éclat des fenêtres et la blancheur des électroménagers témoignaient eux aussi du genre de nuit qu'avait passée mon père.

Bien que ma mère ne fût pas là, le souvenir de sa présence se faisait sentir dans le salon : des ballons de fête crevés jonchaient le sol et une boîte enrubannée qui avait probablement déjà eu l'air d'un cadeau gisait au pied d'un fauteuil, éventrée. Par un des trous béants de la boîte, ce que je devinais être la manche d'un pyjama dépassait étrangement, comme le membre d'un pantin désarticulé. Un deuxième paquet, intact celui-là, semblait avoir été épargné et abandonné sur le bord de la cheminée. Mon cadeau.

Je me suis dépêchée de monter à l'étage pour prendre des vêtements en évitant soigneusement de regarder la chambre du fond.

Un souvenir m'a envahie au moment où j'ai refermé la porte de ma chambre derrière moi.

Geneviève et moi avons six ou sept ans. Nous sommes au chalet, sur le bord du fleuve. Jeanne a son sourire des jours heureux. Elle suit des yeux notre course sur la plage et cela lui suffit pour accepter de vivre une autre journée. Mon père la regarde amoureusement nous contempler. Geneviève m'entraîne près de l'eau. Je ne veux pas la suivre. Elle me fait face, les deux pieds plantés dans le sable. «Si tu ne viens pas avec moi, je me noie.» Je hausse les épaules et vais rejoindre ma mère sous le parasol. Jeanne n'a rien entendu. Elle sourit, le corps abandonné à sa chaise de plage. Geneviève nous défie d'un air sombre et buté. Elle s'arrache du sable, nous tourne le dos et s'avance dans l'eau. Des larmes d'impuissance coulent sur mes joues.

C'est mon père qui va la chercher quand des bulles commencent à éclater à la surface de l'eau.

Quatre

Geneviève trempa le bout de ses orteils dans l'eau de la piscine. Celle-ci était glacée, mais la jeune fille en avait l'habitude. Avec les années d'entraînement, son corps s'était comme couvert d'une seconde peau qui la protégeait du froid, du chlore et de tout ce qui grouillait dans une piscine. Elle se laissa lentement glisser dans l'eau.

Tout naturellement, elle entreprit de faire quelques longueurs. Pour ressentir, encore une fois, l'effet de ses membres qui fendaient, en mouvements réguliers, la surface de l'eau ; la légère sensation d'oppression des poumons qui cherchaient leur air entre chaque respiration. Se sentir flotter, complètement soutenue par des bras invisibles, et en même temps éprouver l'absolue nécessité de se propulser pour ne pas être avalée par la surface de l'eau.

Au bout d'un moment, les médicaments commencèrent à faire leur effet. Les bras et les jambes de l'adolescente donnaient des signes d'engourdissement et sa tête bourdonnait légèrement. Elle sortit à regret du bassin.

N'ayant pas la clé, elle dut forcer la serrure du placard qui contenait tous les équipements de plongée sous-marine. Germain, son instructeur de plongée, serait déçu d'elle, lui qui prenait tellement soin de son matériel. C'est à ce détail que pensait Geneviève en attachant la ceinture de plomb à sa taille.

Elle se dirigea ensuite vers le matelas gonflable qui flottait dans un coin de la piscine et s'y laissa choir, sur le ventre. Les bords de son pyjama mouillé lui glacèrent la peau. Elle se recroquevilla sur le petit matelas à motifs de poissons pour garder sa chaleur. Mis à part les lampes qui éclairaient le fond de l'eau, la piscine était plongée dans l'obscurité.

Se servant de ses mains comme de deux rames, Geneviève s'approcha des feuilles et du crayon qu'elle avait déposés sur le bord de la piscine. Elle écrivit. Longtemps. Idées noires ou grises ; comme elles avaient l'habitude de traverser son esprit.

Quand, sous l'effet des médicaments, ses paupières commencèrent à tomber, elle sortit de sa poche une longue épingle qu'elle enfonça aux deux extrémités du matelas : deux minuscules trous par lesquels l'air pourrait s'échapper.

Elle laissa ensuite l'épingle couler au fond de la piscine. C'est un jeune étudiant de deuxième secondaire qui la retrouverait coincée sous l'échelle, quelques semaines plus tard. Il accueillerait cette trouvaille comme un signe.

Les minutes s'écoulèrent, puis les heures. Le corps de Geneviève s'enfonçait peu à peu dans le matelas qui se dégonflait lentement. Au bout d'un moment, seul son visage inconscient émergeait encore de l'eau. Puis, dans un mouvement lent, ses pieds commencèrent à glisser vers le fond, entraînant le reste. Ses bras se soulevèrent et le corps de Geneviève, lesté par la ceinture de plomb, finit par sombrer dans l'eau froide de la piscine.

Après quelques secondes, l'air qui s'échappait par saccades des poumons de Geneviève forma des bulles qui vinrent exploser à l'air libre. Puis, comme c'est généralement le cas à cette heure de la nuit, dans une piscine d'école secondaire, tout redevint très calme à la surface de l'eau.

jeune
fille
trouvée
morte,
noyée
sous
une chaloupe.

Genviève
17 janvier 02

C'est par la bouche d'un policier que ma mère a appris que sa vie ne serait plus jamais la même. En ouvrant la porte, elle a découvert notre voisin d'en arrière, vêtu de son uniforme, et c'est à toute vitesse qu'il a, visiblement mal à l'aise, expulsé de sa bouche les mots que Jeanne a tout d'abord refusé d'entendre. Elle a levé les sourcils et a calmement expliqué au voisin-policier que c'était TOTALEMENT impossible.

— Ma fille ne peut tout simplement pas s'être noyée puisqu'elle est sauveteuse, monsieur. En plus, elle a passé la nuit chez une amie, où elle doit d'ailleurs encore se trouver. Oui. C'est absolument impossible, m'entendez-vous ?

Ma mère a terminé sa phrase en criant les derniers mots.

C'est à ce moment-là que mon père a compris que quelque chose n'allait pas et qu'il s'est approché. Ma mère lui a expliqué que le voisin avait fait une erreur et qu'il allait s'en aller. Mon père a posé la main sur le bras de ma mère et a ouvert la porte qu'elle avait commencé à refermer sur le policier. Comme si on pouvait chasser une mauvaise nouvelle en fermant la porte au nez de celui qui vous l'apporte.

Mon père a fait entrer le voisin, qui avait de toute évidence envie d'être ailleurs, et il m'a lancé un regard. Un de ceux qui se veulent rassurants, mais qui ont plutôt l'air du regard de celui qui sent qu'il va recevoir un réfrigérateur rempli de ciment sur la tête et qui n'a qu'un parapluie pour se protéger.

Tout s'est ensuite déroulé très vite. Trop vite. Comme dans un rêve, sauf que personne ne dormait. Tout le monde s'est assis autour de la table de la cuisine. J'y ai posé mes mains, autant parce que je ne savais pas quoi en faire que par besoin d'un appui. Sans broncher, ma mère a écouté le policier nous répéter, à moi et à mon père, ce qu'il venait de lui dire. Il était très bref dans ses explications. Les mots *piscine, trouvée morte, noyée, morgue* et *identification* résonnaient dans ma tête sans que j'arrive à leur donner un sens. Je regardais tour à tour mon père, ma mère, le voisin. Mais enfin, quelqu'un allait-il se lever et dire que c'était un rêve, que rien de tout cela n'était vrai?

Jeanne était assise sur le bout de sa chaise et avait entrepris d'arracher une à une les feuilles mortes de la violette africaine qui trônait au centre de la table. Elle a murmuré, entre ses dents : «Chez Maude. Elle est chez Maude.» Sans prononcer un mot, Jacques s'est levé. Il a pris le carnet de téléphone pour appeler chez l'amie en question. Dans les yeux de ma mère, un sentiment de panique a fait surface; comme si elle connaissait déjà la réponse que mon père allait obtenir à l'autre bout du fil. Le voisin tournait nerveusement son alliance avec son pouce et fixait déses-pérément le calendrier accroché au mur de la cuisine, comme si celui-ci pouvait lui être d'un quelconque secours. Je l'ai regardé, à la recherche d'un signe d'espoir. N'importe quoi. D'impuissance, il a baissé les yeux.

Quand mon père a raccroché, la violette africaine n'avait plus une seule feuille.

Cinq

Au moment où le groupe 203 arriva pour son cours de natation, les élèves ne virent tout d'abord qu'un vieux matelas dégonflé, flottant entre deux eaux. C'est Germain qui remarqua le premier la tache sombre au fond de la piscine, sous le matelas, et ce qui lui semblait être une masse de longs cheveux clairs. Il fit alors signe aux élèves de s'écarter et prit la longue perche pour déplacer le matelas. Lorsqu'il la laissa tomber au sol pour plonger à l'eau, le métal glacé résonna contre le ciment de la piscine. Un son qui s'imprégnerait dans la mémoire de plusieurs des étudiants et qui s'agglutinait déjà à la sensation d'effroi qui venait de s'emparer d'eux.

Les élèves découvrirent alors le corps d'une jeune fille au fond de la piscine. Ses longs cheveux blonds flottaient au-dessus d'elle, comme des algues immobiles et silencieuses. Elle était en pyjama de flanelle et portait une ceinture de plomb à la taille.

Certains étudiants reculèrent. Un petit groupe compact se rapprocha, comme mû par une curiosité morbide.

Éparses, des feuilles de papier flottaient à la surface de la piscine. L'eau et le chlore en avaient effacé l'encre et, bien qu'elles aient été couvertes de mots, à peine quelques heures auparavant, l'écriture n'en était plus lisible.

C'est ce dernier détail qui tiendrait la mère de Geneviève éveillée, pendant les mois et les années qui allaient suivre. Qu'avait écrit sa fille sur ces pages, avant de mourir? À qui s'adressaient ces mots que personne ne lirait jamais? Ces questions reviendraient la hanter, sans relâche, chaque nuit et pour le reste de ses jours.

L'ennui me guette,
prédateur fixant sa proie,
Étau qui me serre et m'étouffe.
   Emmurée dans ma torpeur,
Je n'aspire plus qu'à ~~couler~~ sombrer
   pour fuir ce long, ce lourd,

   et lent ennui qu'est ma vie.

Genviève – 19 janvier 02

Prostrée dans les eaux stagnantes
de l'attente et de l'ennui.
J'attends.
J'espère aussi. J'appelle.
Et pourtant, rien ne vient jamais.
J'ai raté le train.
Mes bagages sont trop lourds à porter,
j'ai perdu mon billet,
le train ne viendra plus
(maintenant.)

plumes

Puis, il a fallu aller à la morgue. C'est mon père qui s'en est chargé. Des images me hantent sans que je puisse les contrôler, et parmi celles-ci, j'imagine le corps de ma sœur, recouvert d'un drap vert, et mon père qui ne peut détacher son regard de l'orteil de sa fille auquel on a fixé une étiquette. Une vulgaire étiquette d'identification.

C'est au retour de mon père que j'ai vraiment compris que ma sœur était morte et c'est aussi à ce moment-là que, comme un barrage qui cède sous la pression de l'eau, ma mère a véritablement pété les plombs. Elle ne sait plus que dire : «Ma petite fille, mon tout-petit» en fixant le vide qui s'étend maintenant à perte de vue devant elle.

Comment réagir quand votre mère perd tout contact avec la réalité et que votre père se résume plus que jamais à essayer de lui servir de contenant pour ne pas qu'elle se liquéfie et se répande au sol? Comment faire pour respirer quand le cœur qui battait à l'unisson avec le vôtre a cessé de battre?

J'ai pris la seule bouée qu'il me restait et qui m'unissait à ma sœur : écrire. Écrire comme on saute à bord d'un radeau pour fuir un bateau qui fait naufrage.

Deuxième partie

« J'y suis parvenue ainsi, en escaladant lentement, en m'accrochant aux brindilles qui poussent entre le bonheur et moi. »

Emily Dickinson

Sans repères ni traces de toi

Abandonnée
    Perdue
        Au beau milieu de moi

Je déteste les salons funéraires. Ma sœur, couchée au fond d'un cercueil. Fermé. Des photos d'elle posées sur le couvercle de la boîte. Geneviève à la plage, Geneviève lors d'une remise de médailles, Geneviève, les yeux pétillants et le visage enfoui dans la fourrure de notre chat, Verlaine. Qui les a choisies? Mon père, j'imagine. J'aurais voulu entrer dans une de ces photos et retrouver ma sœur. Souriante, belle et en vie.

Geneviève a toujours eu une humeur mélancolique. Je me souviens qu'à notre premier jour d'école, on nous avait séparées pour la première fois. À la fin de la matinée, j'étais revenue à la maison tout sourire, le numéro de téléphone de mes nombreux nouveaux amis en poche et un amoureux en prime. À mes côtés, Geneviève était maussade et taciturne, elle se plaignait qu'il y avait trop de monde et trop de bruit dans cette école et affirmait qu'elle ne voulait plus y aller.

Les amis et la famille ont défilé, toute la soirée, sans trop savoir ni quoi dire, ni quoi faire. Qu'est-ce qu'on dit à un père et à une mère qui viennent de perdre une fille qui a elle-même choisi de mourir? Il y a tout à coup pénurie de mots.

Je ne savais plus où me mettre. Tout le monde fuyait mon regard. Il faut croire que de se retrouver en face de la copie conforme d'une morte rend les gens mal à l'aise. Geneviève et moi étions des jumelles identiques. Voilà pourquoi je me suis tenue loin de sa tombe. Même si la chose que je désirais le plus au monde aurait été de m'y trouver avec elle.

J'adorais ma sœur. Longtemps, nous avons eu un langage secret que nous étions seules à comprendre. Nous parlions en ajoutant une sonorité, jamais la même, devant chaque mot qui formait nos phrases. Ça pouvait ressembler à : reje ret'aime revieille rechipie. Malgré nos différences, une grande complicité nous unissait; une sorte de complémentarité. Moi, le côté jour et elle, le côté nuit, comme aimait le dire ma mère. Jamais de dispute pour le choix de vêtements, de loisirs ou même d'amis. Nos goûts étaient diamétralement opposés en tout. J'ai toujours adoré le sucré, elle le salé. Moi, les vêtements pâles, elle, les foncés. Moi, les chanteurs anglophones et elle, les francophones. Je ne me serais jamais suicidée.

Quand une personne meurt jeune, on se demande souvent : « À quoi aurait-elle ressemblé à vingt, à quarante, à soixante ans ? » Moi, je serai le rappel constant de ce qu'aurait pu être ma sœur. Mais ce ne sera qu'en apparence, parce qu'à l'intérieur, je ne suis déjà plus la même. Ce qu'on verra en moi, ce ne sera plus la copie de ce qu'aurait été ma sœur, mais bien ce trou béant qu'elle aura laissé en moi.

J'aurais voulu m'enfuir. Ne plus entendre ce curé débile qui débitait des âneries sur Geneviève. Il ne la connaissait pas. Il ne pouvait rien dire qui sût expliquer, soustraire à la douleur. Je ne voulais pas de ces formules et de ces mots vides qui cherchaient vainement à nous réconforter. J'aurais voulu partir. Ne plus voir ma mère, effondrée contre mon père et qui racontait, par-dessus la voix du curé, la fois où Geneviève avait mordu le chien du voisin. Je ne voulais pas entendre ses pleurs qui montaient et que même les bruits dissonants de l'orgue n'arrivaient plus à couvrir.

Six

Le lendemain de la mort de Geneviève, la nouvelle de son suicide dans la piscine de l'école avait fait le tour de tous les casiers. Toutes sortes de rumeurs commençaient à circuler à l'intérieur des murs de la polyvalente, certaines carrément morbides et d'autres totalement loufoques; la plus persistante voulait qu'un maniaque ayant déjà frappé dans d'autres piscines d'écoles secondaires ait forcé la jeune fille à boire du chlore et à nager ensuite jusqu'à l'épuisement.

Lorsque les rumeurs de meurtre et autres scénarios catastrophe se dissipèrent pour laisser place à la vérité : Geneviève Boisclair s'était suicidée, elles furent remplacées par de nouvelles hypothèses tentant d'expliquer le geste. En vain.

La piscine resterait fermée quelques jours. Personne ne savait pour combien de temps, mais certains prétendaient qu'elle n'ouvrirait plus jamais ses portes et plusieurs affirmaient qu'ils refuseraient désormais de s'y baigner. Une équipe de psychologues apporta soutien et réconfort aux élèves et professeurs bouleversés par la mort tragique de l'adolescente.

Parmi les professeurs de Geneviève, le plus durement éprouvé fut certainement Germain, son professeur et entraîneur de natation. Bien sûr, il y avait le choc d'avoir découvert le corps inanimé de son étudiante au fond de l'eau. Mais il y avait surtout le souvenir du poids de cette jeune fille morte qu'il avait tenue dans ses bras pour la hisser hors de l'eau et qui, depuis, s'était mué en une culpabilité écrasante. Celle de n'avoir rien vu et de n'avoir rien pu faire pour éviter ce drame.

Il fut incapable de se rendre aux funérailles et se terra chez lui pendant une semaine, en proie à une migraine tenace et à un chagrin pesant.

Au fond de la rivière
Plus aucun caillou ne brille

Ni ne luit

Tous sont en deuil de toi.

Ma mère n'est plus maintenant que l'ombre d'elle-même. Soutenue par mon père, elle est parvenue à enterrer ma sœur en restant à peu près debout, puis elle s'est écroulée. Elle dort tout le jour et pleure toute la nuit. Parfois, alors que je glisse un œil par la porte de sa chambre, elle se relève sur les coudes, l'air ébahi de celui qui émerge d'un mauvais rêve.

— Geneviève?

— Non, maman, c'est Lou-Anne. C'est juste Lou-Anne.

J'évite le plus souvent de faire du bruit quand je passe devant sa chambre. Je voudrais être un fantôme. Ne plus être, pour tous ceux que je croise, le souvenir d'une morte.

Mon père s'est transformé en madame «Blancheville». Il chasse la poussière et la saleté où qu'elle se terre, brossant et astiquant la moindre parcelle de ce qui peut être frotté.

J'imagine qu'il faudra reprendre les cours. Mais personne ici ne semble se soucier du fait que je retourne ou non à l'école. Les journées passent et je n'arrive toujours pas à m'y habituer. Ma sœur est morte. Je me le répète sans arrêt, sans parvenir à donner un sens à ces quatre mots. Ma sœur est morte. Ça sonne faux, comme une cloche fêlée qui n'en finit plus de résonner dans ma tête. Et le son jamais ne s'éteint. Ma sœur est morte.

Ma sœur est morte.

Ma sœur est morte.

Le pire, c'est de ne pas savoir où elle est. Je sais bien que son corps n'est plus, mais ce qui faisait qu'elle était elle, Geneviève, ma sœur, ma jumelle, c'est parti où?

Je me sens comme la fois où on l'avait perdue dans un centre commercial. Je me jugeais responsable de sa disparition. Si seulement je lui avais tenu la main, dans la foule, on ne l'aurait pas perdue. Je ressentais sa perte dans mon corps, comme une moitié de moi qu'on m'aurait arrachée. Je percevais que, où qu'elle fût, quelque part dans ce grand centre commercial, elle se sentait aussi déchirée que moi. Je me savais reliée à elle, mais j'ignorais où elle se trouvait, et c'était comme si je m'étais perdue moi-même.

C'est la même chose aujourd'hui. Je la devine qui erre, décousue, arrachée à moi, et je ne sais pas où elle se trouve. Je voudrais tellement croire en quelque chose : un paradis ou un ciel quelconque où je la saurais en sécurité, mais je n'arrive à l'imaginer nulle part et je ne peux pas la prendre dans mes bras pour la consoler. J'aimerais tellement la prendre dans mes bras. C'est ce qui me pèse le plus, je crois.

Hier, la piscine a été rouverte. Pour plusieurs, ç'a été le signe que la vie normale pouvait reprendre. Comme si tout le monde avait retenu son souffle ; par respect ou par honte, c'est la même chose. « La vie doit continuer. » C'est ce que tous mes amis me disent. Comme si la vie POUVAIT continuer. Il n'y a donc personne qui voit que ma vie est sur la voie d'évitement ? qu'elle a été mise entre parenthèses avec la mort de ma sœur ? Comment veulent-ils que je continue à faire des devoirs d'histoire, que j'attende l'autobus, que je me fasse cuire des pâtes après ça ? Plus rien n'a de sens. Tout m'est futile. Je vis comme un automate : présente de corps, mais le reste s'est enfui.

Maude et Valérie me téléphonent tous les jours, mais après les mots et formules de réconfort dont elles m'abreuvent, la conversation s'étiole et s'éteint vite. Il faut dire que mes silences sont lourds. J'ai toujours adoré parler au téléphone, et parfois même des heures, mais là, il me semble que plus aucune conversation ne saura me retenir au bout du fil. Jamais.

Je vais m'installer chez Mamie pour quelque temps. Jeanne n'est plus en mesure de s'occuper de qui que ce soit, même pas d'elle. J'ai toujours pensé que ma mère était une femme fragile, mais la mort de Geneviève a achevé de la déconstruire. Je crois qu'elle a pris un congé indéterminé au travail. Ses collègues sont venus lui rendre visite, hier, mais elle a refusé de les voir. Ses journées sont consacrées exclusivement à son chagrin et elle semble même avoir oublié qu'elle a une autre fille.

Après avoir épuisé les possibilités thérapeutiques offertes par l'intérieur de la maison, mon père a entrepris de s'attaquer à son extérieur. Il s'est mis en tête de la repeindre. Dès qu'il le peut, il se met à l'ouvrage et se laisse aspirer par cette tâche jusqu'aux petites heures du matin. Soixante-six mille neuf cent soixante-treize bardeaux de cèdre à décaper et à recouvrir de peinture : de quoi s'assurer une longue fuite à l'extérieur de sa peine.

Sept

La mère de Jeanne venait tous les jours à la maison, pour s'assurer que sa fille mangeait. Jeanne refusait de toute façon d'avaler autre chose que la soupe de sa mère. C'était pourtant une soupe toute simple : bouillon de poulet, un peu de légumes et quelques nouilles, mais il faut croire qu'elle possédait un pouvoir apaisant.

La mère et sa fille se parlaient peu. Qu'auraient-elles pu se dire ? La série meurtrière des « pourquoi ? » jouait au ping-pong dans leur tête sans trouver d'écho nulle part. Pourquoi Geneviève s'était-elle enlevé la vie ? Qu'avaient-ils fait ou que n'avaient-ils pas fait pour susciter le désir de mourir chez leur enfant ? À qui la faute ? Pourquoi ne leur avait-elle rien dit ? Comment pouvaient-ils n'avoir rien vu ? Aucune réponse ne rendrait la vie à Geneviève. La colère, le chagrin et l'impuissance se relayaient au chevet de Jeanne.

Pauline réchauffait la soupe, la versait dans un bol – toujours le même – qu'elle portait ensuite à sa fille. Elle ouvrait les rideaux, ramassait les mouchoirs qui tapissaient le sol. Elle s'assoyait ensuite quelques minutes sur le bout du lit, puis repartait pour ne revenir que le lendemain et accomplir les mêmes gestes : réchauffer la soupe, ouvrir les rideaux, ramasser les mouchoirs.

Un matin, elle déposa une enveloppe sur la table de chevet de Jeanne. De son écriture fine, elle y avait inscrit le nom de sa fille. Elle lissa les plis de sa jupe et fixa longuement les fleurs de la tapisserie. Elle ne savait pas si sa fille dormait, mais elle parla quand même.

— Tu le sais, je n'ai jamais su dire les choses.

Elle se leva et resta immobile, à la recherche d'un quelconque point d'appui. Elle se dirigea vers la fenêtre et fixa l'arrêt d'autobus. Ça suffirait pour prononcer les mots qu'elle avait à dire.

— Je t'ai écrit. Une lettre.

Elle lissa encore les plis de sa jupe et se racla la gorge.

— Je l'ai posée là. À côté de toi, murmura-t-elle avant de sortir de la chambre et de la maison de sa fille.

C'est en courant que Pauline dévala les dernières marches qui menaient à l'extérieur.

Jeanne ne dormait pas. Elle souleva l'enveloppe et la pressa sur son visage. L'odeur de la maison de sa mère la submergea. Elle plaça la lettre sous son oreiller et se remit à compter, pour la millième fois, les huit cent quarante-deux fleurs de la tapisserie de sa chambre.

Quelque part en moi
poussent maintenant
    des rivières et des torrents
    qui charrient des cadavres et des
        barques défoncées

Je n'ai plus pied
    Nulle part où aller

J'ai finalement repris les cours. Mes amis me fuient. C'est fou ce que le fait d'être la sœur jumelle d'une suicidée a le pouvoir de créer un vide autour de vous. Comme si la terre s'ouvrait à chacun de vos pas et qu'elle creusait une faille entre vous et le reste de la planète. Quand je m'approche, on chuchote, on se tait, on baisse les yeux. La mère de mon amie Camille est allée jusqu'à lui interdire de me parler. « Excuse-moi », c'est tout ce qu'elle a trouvé à dire avant de me planter bêtement devant mon casier. Comme si le suicide était une maladie contagieuse qui se transmettait de bouche à oreille !

Si ma sœur avait été écrasée par un camion de dix-huit roues, terrassée par un virus avec un nom à coucher dehors, ou mieux, atteinte d'une maladie rare et incurable qui frappe en vingt-quatre heures, on aurait certainement trouvé les mots et les gestes pour réconforter, mais quand le camion de dix-huit roues, c'est la morte elle-même qui le conduisait à cent cinquante kilomètres à l'heure, sans freins ni ceinture de sécurité, avec des pneus d'été en plein hiver, et qu'elle fonçait droit vers un mur de ciment, on ne sait soudainement plus quoi dire aux survivants de la collision.

De toute façon, je m'en fous. Qu'ils aillent tous au diable avec leurs maudits regards fouilleurs de merde, leurs murmures et leurs petits airs de fins psychologues bourrés de pitié. Ça pue la pitié partout où je passe. ÇA PUE ! ÇA PUE ! ÇA PUE !

J'ai l'impression qu'une inscription flotte en permanence au-dessus de ma tête et que clignotent, comme dans une réclame de matelas en solde, les mots « TOUTE SEULE » au néon rouge.

Je t'en veux, Geneviève. Je sais que je n'ai pas le droit de t'en vouloir, que je devrais avoir honte de t'en vouloir, mais si tu savais comme je t'en veux de m'avoir laissée ici. D'être partie sans moi. Sans un mot. Pourquoi ne pas me l'avoir dit? J'aurais pris soin de toi, si j'avais su. Je t'aurais empêchée.

Qui veille sur toi, maintenant?

Huit

Certains jours, Jeanne se lève et parcourt la maison. Les pièces sont pleines de l'absence de Geneviève ; un dessin, une photo, une veste de laine, des souliers de cuir. Jacques n'a touché à rien. Personne n'ose encore et pourtant, il faudra bien le faire. Placer les dessins, les photos, les vestes et les souliers au fond d'une boîte. Geneviève ne reviendra plus.

Le corps de Jeanne porte les traces du passage de sa fille dans sa vie : pas une ride, pas un cheveu blanc n'a oublié les nuits blanches de la première année, pas une fibre de sa peau ne parvient à oublier la petite main de sa fille dans la sienne, le poids de son corps sur sa hanche, la chaleur de son souffle quand elle s'endormait dans son cou.

Parfois, la nuit, quand Jeanne descend à la cuisine, il lui arrive de mettre la table pour Geneviève. À sa place habituelle, entre Jacques et elle, en face de Lou-Anne, Jeanne dépose le couvert pour sa fille et fixe le creux que son corps a imprimé sur le siège de paille. Est-ce tout ce qu'il reste d'une personne, après son départ ? Le souvenir de son poids sur un meuble, l'empreinte de ses pieds au fond d'une chaussure, la marque de ses dents au bout d'un crayon de bois ?

Prier

Y croire

Pour ne pas mourir aussi

Depuis des jours, je fais le même rêve : je vois Geneviève sur une plage ou sur une route qui s'étend à perte de vue. Elle marche, toute seule. Ses cheveux et ses vêtements sont détrempés, comme s'il pleuvait, mais il n'y a pas une seule goutte de pluie. Elle marche et ne laisse pas d'empreintes, aucune trace. Ni sur le sol ni sur le sable.

Je l'appelle. Elle ne me répond pas. Un bruit d'orage emplit mes oreilles ; un vent fort, une pluie battante résonnent dans ma tête. Et pourtant, il fait beau et je sens le soleil qui me chauffe la peau.

Plus je m'approche de ma sœur et plus le vacarme s'intensifie dans ma tête. Je m'éveille toujours à ce moment-là ; transie, submergée par une étrange sensation, comme envahie d'humidité.

Ma fille,

Ça m'a pris trop d'années à me décider. Il faut que je le fasse. Maintenant. Il n'est peut-être pas trop tard. Pour toi et pour Lou-Anne. Tu excuseras mes hésitations. Tu n'as pas idée du nombre de fois où j'ai recommencé cette lettre.

Je voudrais d'abord te parler un peu de moi. Pas parce que j'en ai envie, mais parce que c'est un peu de toi qu'il s'agit, aussi. Certaines histoires de famille sont comme des éponges qui absorbent tout et qu'on se transmet, de génération en génération. Il faut, à un certain moment, savoir en extirper l'eau stagnante. Ne pas porter le poids de l'eau qui n'est pas la nôtre.

Ma mère était une femme dépressive et, avant elle, sa mère. Nous n'avons jamais beaucoup parlé de ces choses-là, toi et moi, mais je sais que tu en comprends plus que ce que j'ai pu te dire. Ma mère ne voulait probablement pas d'enfants, mais à son époque on ne choisissait pas. Elle a eu deux filles et trois garçons. Mes frères ne s'en sont pas mieux tirés que moi : la délinquance a joué pour eux le rôle que la dépression a tenu dans ma vie et dans celle de ma sœur.

Ma sœur Berthe est morte jeune, tu le sais. Ce que tu ignores, par contre, c'est que les eaux du lac gelé sur lequel elle est allée marcher, un soir de décembre, ne pouvaient pas porter le poids d'une personne. Et ça, je suis persuadée qu'elle le savait.

Je me suis mariée peu après la mort de Berthe. Je voulais partir. Vite. Puis, tu es venue. J'ai tout fait pour que cesse ma grossesse. Je ne souhaitais pas d'enfants, mais, surtout, je ne voulais pas de fille. Je pense que tu en as toujours été consciente, n'est-ce pas?

Si je le pouvais, je déchirerais cette lettre en mille miettes et je la brûlerais. C'est probablement ce que tu as, toi aussi, envie de faire en ce moment même, mais je suis convaincue que je dois te dire ces choses.

Je sais que je n'ai pas été la mère dont tu aurais eu besoin. C'est pourquoi je t'ai envoyée, très jeune, au pensionnat. De toute évidence, mon plan n'a pas fonctionné. Tu as hérité de mon humeur sombre et instable, malgré tout le soin que j'ai mis à te tenir éloignée de moi.

Les années ont passé et j'ai cru que le temps arrangerait les choses. Mais le temps n'arrange rien quand on a affaire à l'eau; l'eau s'infiltre partout, elle creuse son nid et, à la longue, elle fait pourrir tout ce qu'elle étreint. Le temps n'est qu'une excuse pour nous soustraire à notre obligation de nous prendre en main.

Quand tu as eu les jumelles, j'ai pensé que je pourrais me rattraper un peu. Jouer auprès d'elles le rôle de mère que je n'avais pas su jouer auprès de toi. Je ne peux pas expliquer les raisons qui font qu'il est plus facile d'être aimant avec ses petits-enfants qu'avec ses propres enfants, mais c'est comme ça. J'ai probablement échoué dans mon rôle de mère, mais j'ai toujours considéré que j'avais le devoir de ne pas gâcher celui de grand-mère. C'est aussi à ce titre que je t'écris aujourd'hui.

Je m'en voudrai toujours pour ce qui est arrivé à Geneviève. Mais je m'en voudrais plus encore de te laisser sombrer sans rien tenter. Tu as une autre fille, Jeanne. Lou-Anne a perdu en sa sœur sa complice et sa moitié. Ne la laisse pas perdre aussi sa mère. Ressaisis-toi. Fais ce choix. Si tu n'agis pas, elle coulera, elle aussi. Tu as ce pouvoir, pour elle et probablement aussi pour toi.

Pauline

P.-S. : J'aurais voulu signer cette lettre maman, mais je ne m'en sens pas capable. J'espère qu'un jour la chose sera possible.

Neuf

Jeanne déposa la lettre sur son couvre-lit. Sa lecture avait fait céder un barrage en elle. Comme si toute l'eau accumulée depuis des années trouvait enfin son chemin et pouvait s'écouler. Elle prit le téléphone et composa le numéro de Pauline.

— Maman ?

— ...

Jeanne n'avait jamais appelé sa mère autrement que par son prénom. Une façon de lui signifier de garder ses distances, celles-là mêmes que Pauline avait voulu installer entre sa fille et elle, bien des années auparavant.

Pauline ne s'attendait pas à cela. Elle s'était dit que sa lettre aurait pour effet d'aider sa fille et sa petite-fille, mais pas de l'aider *elle*. À soixante ans passés, on ne peut plus rien contre ce qui nous a étouffé une vie durant. Et pourtant, le mot que venait de murmurer sa fille lui coupa le souffle et la laissa sans voix.

Elles pleurèrent beaucoup, se dirent des tas de choses, parfois sans même les prononcer, et à la fin, quand vint le moment de raccrocher, quelque chose s'était produit entre elles mais aussi, peut-être, en chacune d'elles. Oh, presque rien. Mais c'était déjà énorme. La douleur de Jeanne avait pris une ampleur différente, celle de Pauline avait trouvé des mots pour se dire. Enfin.

Ton silence
Le mien

Tous deux enlacés au fond de la piscine

Cette nuit, j'ai fait le même rêve. Celui où je vois ma sœur, complètement trempée et que je ne parviens pas à appeler. À la différence que, cette nuit, c'est moi qui étais trempée. Mes vêtements étaient lourds d'eau. J'avais de la peine à marcher tant le poids de l'eau me tirait vers le sol. Plus j'avançais et plus la marée se retirait. J'aurais voulu entrer dans l'eau, pour me laisser flotter, me libérer du poids de l'eau, mais toujours la mer descendait.

Je sentais que Geneviève était là, mais je ne la voyais pas. J'ouvrais la bouche, mais aucun son n'en sortait. Je voulais me retourner, mais mes pieds n'obéissaient pas. Ils ne savaient qu'avancer, vers la mer qui sans cesse se retirait.

Après un moment qui m'a paru une éternité, l'eau s'est mise à monter. J'avais peur, mais j'étais bien, car je savais que j'allais flotter. Je me suis réveillée au moment où l'eau montait par-dessus ma tête. Et je ne flottais pas.

Dix

Depuis la mort de sa fille, le seul aliment que Jacques prenait le temps de manger, trois fois par jour, était une rôtie au Cheez Whiz. Pas parce qu'il n'y avait rien d'autre au réfrigérateur – il continuait à s'occuper des courses, comme d'habitude –, mais bien parce que c'était tout ce qu'il parvenait à avaler. Matin, midi et soir, il s'assoyait au comptoir-lunch et préparait deux rôties au Cheez Whiz. Le plus souvent, l'une des deux tranches de pain se figeait dans l'assiette et finissait dans la poubelle, avec d'autres de ses semblables.

Jacques avait emménagé dans le bureau, au premier étage de la maison. La souffrance de Jeanne était trop vaste et prenait tout l'espace de leur chambre. Jacques préférait dormir à même le sol, dans l'espace exigu de son bureau. Il savait bien que cela ne pourrait pas durer éternellement, que Jeanne et lui devraient un jour remonter à la surface, mais, pour l'instant, il faisait tout pour rester en périphérie de son chagrin.

Au moment où Jacques s'apprêtait à manger sa deuxième rôtie de la journée, Jeanne apparut dans la cuisine. Elle était pâle. Elle avait noué ses cheveux, enfilé un pantalon et une chemise. C'était la première fois qu'elle se levait depuis plusieurs jours. Elle rassembla les muscles de son visage pour tenter de sourire à son mari.

Elle grimpa sur le tabouret du comptoir-lunch et accepta la rôtie que Jacques lui tendit. Ils n'échangèrent pas un mot. Au bout d'un moment, Jeanne se leva pour jeter un œil à la fenêtre. Il faisait gris. Il lui semblait qu'il ferait gris pour le reste de sa vie. Afin de chasser cette pensée, elle entreprit de compter les épingles à linge alignées sur la corde à moitié gelée. Après avoir dénombré trois fois les épingles malmenées par le vent, elle fit demi-tour et resta plantée dans la cuisine, pieds nus, sans plus savoir ce qu'elle devait faire.

— Quel jour sommes-nous ?

— Vendredi. Tu veux que je te serve un café ?

— Hum ?

— Un café ?

Jacques s'empara d'une tasse.

— Non. Merci.

Son mari replaça la tasse et en profita pour essuyer quelques taches invisibles sur l'armoire.

— Où est Lou-Anne ? demanda-t-elle.

— À l'école.

— Hum.

Jeanne fit le tour du comptoir avec l'intention de se rasseoir avec son mari, mais au dernier moment elle se ravisa et retourna à sa chambre. Jacques jeta la rôtie au Cheez Whiz que Jeanne n'avait pas touchée et entreprit, pour la troisième fois dans la même semaine, de laver l'intérieur du réfrigérateur. Il n'en eut pas connaissance lorsque sa femme passa la porte d'entrée, quelques minutes plus tard.

Sans cesse les mêmes questions
Toujours les mêmes
Sans fin ni trêve
Les mêmes questions

Et ma douleur pour toute réponse

Depuis une semaine, il me guettait partout dans les corridors de l'école. À tout instant, je sentais son regard qui me suivait. Ce matin, j'en ai eu assez. Je n'avais pas le cœur à me laisser observer comme un spécimen en cage. J'ai dévié de ma trajectoire et me suis plantée devant sa table.

Je n'ai rien dit, je l'ai observé à mon tour. C'était un élève plus vieux. Probablement de quatrième ou cinquième secondaire.

— Qu'est-ce que t'as à me suivre partout ?

— J'te suis pas.

— Écoute, je rêve pas : tu m'observes depuis des jours. Qu'est-ce que tu me veux ?

Il a déposé son sandwich et planté ses yeux dans les miens. J'avais l'impression qu'il lisait en moi, qu'il y voyait des choses dont j'ignorais l'existence. J'ai frissonné, mais j'ai essayé de ne rien laisser paraître.

— Je sais ce que tu vis, m'a-t-il lancé.

J'ai croisé mes bras. J'ai serré mes poings, les ongles enfoncés dans mes paumes. C'était donc ça ; encore un qui souhaitait me manifester sa maudite pitié, celle dont je ne voulais pas. Je n'ai rien répondu. J'avais trop envie de hurler, de crier à m'en faire éclater les poumons.

— Je le sais parce que je l'ai vécu.

J'allais l'envoyer promener, lui dire que ce que je traversais n'avait rien à voir avec ce qu'il pouvait avoir vécu, mais quelque chose dans son œil m'a retenue. Je suis restée là, les mâchoires serrées, prête à mordre. Puis, tout d'un coup, comme si j'avais reçu un coup de masse, je n'ai rien pu faire de mieux que de m'asseoir. J'ai senti mes épaules s'enfoncer dans mon corps et mon corps s'enliser dans le banc. Ma douleur m'avait rattrapée. Je n'avais plus le courage de me braquer. Il a dû prendre ça pour un encouragement à poursuivre.

— Quand j'avais huit ans, mon père s'est suicidé. Une balle dans la tête. J'étais pas là quand ils l'ont trouvé. J'ai jamais vu son corps. J'ai été des années à l'apercevoir partout dans la rue. Je croyais le reconnaître dans chaque passant; sa démarche, sa façon de porter sa casquette, quand ce n'était pas son rire qui me faisait sursauter dans une salle de cinéma. Ce n'était jamais lui. Je pouvais pas accepter qu'il m'ait laissé tout seul. Il allait revenir me chercher, c'est sûr.

Il a levé les yeux vers moi avant d'ajouter :

— Crois-moi. Je comprends ce que tu vis.

J'ai baissé les yeux. Je ne savais pas quoi dire. Aucun mot ne semblait convenir. Je ne me souviens plus si c'est moi qui ai pris sa main ou si c'est lui qui a pris la mienne. Tout ce dont je suis certaine, c'est que pour la première fois, depuis la mort de Geneviève, je me suis sentie vivante.

— Comment tu t'appelles ?

— Lou-Anne.

— Moi, c'est Simon.

Onze

Vers quatorze heures quinze, Jaques était en grande réflexion, à quatre pattes au milieu des chaussures de la garde-robe de l'entrée. Il avait longuement hésité entre un classement par pointure et un par couleur. Au moment où le téléphone sonna, il avait opté pour un rangement par ordre croissant. C'était la secrétaire de l'école de Lou-Anne qui téléphonait pour l'avertir de l'absence de cette dernière à ses cours de l'après-midi.

Sur le coup, Jacques ne s'en formalisa pas trop. Sa fille aussi vivait une période difficile et il se demandait même parfois comment elle arrivait à poursuivre ses cours comme avant. Elle avait probablement pris un après-midi de congé pour aller se promener en ville.

Mais lorsque Pauline téléphona à son tour et qu'elle lui annonça que Lou-Anne n'était pas rentrée après l'école et qu'elle n'avait pas donné signe de vie depuis, Jacques décida d'informer sa femme de la situation. Il était dix-neuf heures et il devait quitter la maison dans la demi-heure pour son quart de travail.

Au moment où il commença à grimper les escaliers, il n'était pas encore vraiment inquiet. Il arrivait parfois à sa fille de se rendre souper chez des amies et d'oublier d'en prévenir ses parents. Mais, bien que ce ne fût pas dans les habitudes de Jacques d'être assailli par des idées noires, il ne put s'empêcher, parvenu au sommet de l'escalier, d'envisager quelques scénarios sombres.

Il se débattait encore avec ces idées quand il frappa à la porte de Jeanne. Pas de réponse. Il tourna doucement la poignée et passa sa tête dans l'entrebâillement de la porte. Ce qu'il vit alors ne fit qu'alimenter le sentiment de panique qui avait commencé à le gagner : Jeanne n'était pas dans son lit.

Renverser ses eaux dormantes
Secouer ses marécages
Perturber ses enlisements

Traverser à pied l'océan

Après, tout s'est déroulé très vite. Simon m'a proposé d'aller marcher. Ça m'a semblé la seule chose sensée à faire : marcher avec lui et parler. Marcher. Parler. Parler, marcher. C'était comme si je retrouvais tout à coup le don de la parole après l'avoir perdu une éternité plus tôt. J'avais l'impression, depuis la mort de Geneviève, qu'aucun mot ne réussirait plus à se frayer un chemin vers la sortie. Comme si tout était condamné à rester pris dans ma gorge. Incapable de dire. Et là, soudain, et sans que je puisse l'arrêter, ma voix trouvait les mots, tous les mots, tous ceux qui me faisaient mal et qui me martelaient la tête depuis des jours et des semaines. Tout sortait, sans entraves ni censure.

Simon accueillait tout sans broncher. Lui, je ne l'effrayais pas. Il savait. La douleur que chaque respiration me causait, le trou béant au creux de ma poitrine, l'écrasante solitude qui semblait ne jamais vouloir prendre fin. Il portait la même. Mais, plus que ça, je prenais conscience qu'il y avait survécu. Il y avait donc une façon de survivre à ça ? Il était possible de ne pas être entraîné par quelqu'un qui se noyait ?

Je voulais tout comprendre. Sa douleur, sa perte, sa solitude parce que c'étaient aussi un peu les miennes. Mais je souhaitais aussi savoir sa lumière, sa remontée, son salut. Parce que moi aussi, j'avais le désir de remonter à la surface, qu'on me montre le chemin, qu'on me permette de m'appartenir à nouveau, de sortir la tête hors de l'eau.

Au moment où on s'est finalement arrêtés de parler, il faisait nuit. On avait marché longtemps et on avait fini par aboutir sur

111

un banc, tout près du parc LaFontaine. Ma montre indiquait vingt et une heures quarante. J'avais oublié. Oublié de souper, oublié d'avertir ma grand-mère. Quand j'ai voulu le faire, il n'y avait pas de réponse chez elle. J'ai essayé à la maison, mais sans plus de succès. Mon père travaille probablement, ma mère doit encore être effondrée sous ses couvertures à lutter contre ses démons intérieurs. Personne n'a dû remarquer mon absence.

Douze

Jeanne prit son manteau et marcha. Longtemps. Ses pas la conduisirent naturellement vers un cours d'eau. Le parc de l'île de la Visitation conviendrait parfaitement pour ce qu'elle avait à faire. Confier sa peine à l'eau. La rivière des Prairies l'apaiserait.

Elle fit tout en son pouvoir pour trouver un peu de calme en elle. Elle pensa à sa fille Geneviève. À l'acte qu'elle avait posé et à ce qui avait pu la mener là. À sa tante Berthe, morte noyée sous les eaux d'un lac gelé. À sa mère, Pauline, qui avait dû lutter elle aussi pour ne pas sombrer dans les eaux froides du lac, à la suite de sa sœur. À Lou-Anne, qui devait affronter toute cette eau, toute seule. Et, enfin, elle pensa à elle. À sa propre souffrance, à tout ce poids, cette eau stagnante, comme avait dit sa mère. Elle aurait voulu pouvoir se relever, neuve de toutes ces eaux croupissantes, de tous ces marais dans lesquels elle s'était enlisée tant de fois.

Elle regardait la rivière couler, sous ses pieds. Même en hiver, l'eau se déplaçait. Ralentie par les glaces, mais en mouvement tout de même. Et c'est à cette même eau qu'elle demanda réconfort et soutien. Longtemps, accoudée au parapet qui surplombe la rivière, elle appela l'eau à son aide. Pour elle, pour sa mère, pour sa fille.

Lorsque Jeanne quitta le parc, il faisait nuit.

Je veux avoir la patience
des jours longs
des paysages sombres

Je veux avoir le courage
et l'espérance des jours qui viendront

Il est vingt-deux heures. Je suis dans l'autobus qui me ramène à la maison. Je viens de quitter Simon. Il m'a reconduite jusqu'à l'arrêt d'autobus. Avant de monter à bord, j'ai eu juste le temps de lui demander : « On se revoit quand ? » Je n'ai pas entendu sa réponse, mais je sais que ce sera très bientôt.

Treize

Tout d'abord, Jacques ne sut pas quoi faire. Céder à la panique n'était pas son genre, mais les dernières semaines lui avaient fait perdre tous ses repères. Il appela Jeanne, doucement, puis de plus en plus fort. Sa voix résonnait dans la maison et aucune réponse ne lui parvenait. Des images commencèrent à se bousculer dans sa tête sans qu'il puisse les contrôler.

Il trouva la salle de bain vide. Pendant un court instant, il s'était imaginé le pire. Soulagé de ne pas avoir découvert sa femme étendue dans le fond de la baignoire, Jacques se rua sur la pharmacie, s'empara des flacons de pilules et en vida nerveusement le contenu dans les toilettes.

Il se dirigea ensuite vers le garage. Avant d'ouvrir la porte qui le séparait de la maison, il y posa la main, comme il l'aurait fait s'il y avait eu un feu de l'autre côté. La porte était froide, mais tout en lui était en flammes quand il en fit tourner la poignée. La voiture était là. Le moteur n'était pas en marche.

Jeanne n'était pas dans la voiture. Jacques s'adossa à la porte et réprima difficilement une nausée.

Il s'attaqua ensuite aux chambres à l'étage. Sa femme n'était dans aucune des pièces. Il alla même jusqu'à regarder sous les lits et ouvrir les portes des garde-robes.

Puis, il se trouva devant la dernière porte : celle de la chambre de Geneviève. Il tourna la poignée. Doucement. L'air se frayait difficilement un chemin jusqu'à ses poumons. Il se retint au cadre de la porte pour ne pas tomber.

Tout était comme sa fille l'avait laissé presque un mois plus tôt. Des vêtements ici et là, des livres commencés mais qu'elle ne finirait jamais, des dessins et des poèmes affichés au mur. Un verre d'eau, sur sa table de nuit. Son lit, défait. Son pyjama, sur son oreiller, comme si elle allait revenir le soir même. Jacques accusa difficilement le coup.

Quand Jeanne rentra, elle trouva son mari, effondré, dans le lit de sa fille.

Respirer sous l'eau

Finalement

Cette nuit, j'ai rêvé. J'attendais l'autobus avec Simon. C'était le soir. En montant, je n'ai pas tout de suite vu que c'était mon père qui était au volant de l'autobus. Il ne m'a pas remarquée non plus, trop absorbé qu'il était à sourire à ma mère, assise sur son banc habituel.

Quand le dernier voyageur est descendu, mon père a éteint toutes les lumières et nous avons emprunté le pont Jacques-Cartier. Nous avons roulé toute la nuit, jusqu'au bord de la mer, dans le Maine. Mon père a garé l'autobus devant *notre* plage. Celle où nous allions, tous les étés, quand nous étions enfants, Geneviève et moi.

Nous avons cueilli des coquillages et des cailloux. Longtemps. En silence. Et, pour la première fois depuis la mort de ma sœur, nous avons connu un moment de paix. Ensemble.

J'ai pris ça pour un signe.

Épilogue

4 janvier 2003

Ça fera bientôt un an que ma sœur est morte. Nous fêterons mon anniversaire à la même date que celui de sa mort et ce, pour le reste de mes jours. Il y a maintenant un avant et un après. Après ma sœur. Pour toute la famille. Et, en même temps, ce drame nous aura ouvert les yeux à tous. Sur l'obligation, l'absolue nécessité de dire, de se confier et d'aller vers les autres. On n'est jamais seul à vivre ce que l'on vit et on gagne toujours à partager ce que l'on porte. Je l'ai finalement compris. J'aurais voulu que ma sœur le comprenne aussi.

Je pars en voyage demain. L'école a organisé un voyage-échange avec Vancouver. J'emmène Geneviève. J'ai enfin trouvé un endroit où je la sais en sûreté : en moi.

Je lui ferai tout visiter, à travers mes yeux. J'ai envie qu'elle voie le monde et ce qu'il recèle de beautés. Ce n'est pas tous les jours évident, mais je veux vivre. Je ferai l'expérience de tout ce que ma sœur n'aura pas vécu. Je veux aimer et être aimée. Porter des enfants, leur donner la vie et le goût de la vivre, pour Geneviève, mais aussi parce que la vie vaut la peine d'être vécue. J'en suis maintenant convaincue.

Ma grand-mère a toujours du mal à vivre. On n'efface pas une vie de rendez-vous manqués avec soi en quelques mois, mais elle arrive à présent à trouver une relative zone de confort dans son inconfort. Elle apprend à cohabiter avec son ennui, sans se laisser terrasser par lui.

Ma mère fait du bénévolat dans un organisme de prévention du suicide. Elle traque l'espoir partout où il y en a. Elle a tant d'années à rattraper. Elle a déniché une petite maison d'édition qui publiera les textes et les dessins de Geneviève.

Mon père a finalement consenti à vivre son chagrin. Il ne sait pas trop comment s'y prendre. Lui qui assumait le rôle de bouée, de phare et de boussole pour ma mère depuis toutes ces années, il se sent un peu mal dans la peau de celui qui doit accepter de se laisser secourir, mais il y parvient de mieux en mieux.

La maison a un drôle d'air avec ses tréteaux abandonnés devant sa facade; une moitié peinte en bleu, un tiers du reste décapé au bois et une partie peinte en jaune. Ça fait rire ma mère. Elle dit que c'est à l'image de notre famille : en reconstruction.

Un an plus tard, je comprends mieux le geste de ma sœur. Elle ne voulait probablement pas vraiment mourir, seulement cesser de souffrir. Elle n'aura tout simplement pas réalisé que son choix serait définitif et que son mal de vivre aurait pu n'être que temporaire.

Tout passe. Comme la marée monte et redescend. Il y aura toujours des moments à marées basses, mais ils seront nécessairement suivis de marées hautes. Il faut y croire. C'est la vie. C'est l'ordre naturel des choses.

Montréal, Saint-Michel de Bellechasse, Beaumont,
haltes routières jalonnant l'autoroute 20 entre
Montréal et Québec
Mars 2003 – septembre 2005

Si tu as des idées suicidaires ou si tu côtoies quelqu'un qui en a, voici des organismes à contacter et qui peuvent apporter aide et soutien :

Suicide-Prévention
Partout au Québec : 1-866 APPELLE (1-866-277-3553)

Jeunesse j'écoute
Partout au Canada : 1-800-688-6868
www.jeunesse.sympatico.ca

Tel-Jeunes
Montréal : (514)-288-2266
À l'extérieur de Montréal : 1-800-263-2266
www.teljeunes.com
www.detresse.com

Fiches d'exploitation pédagogique

Vous pouvez vous les procurer sur notre site Internet
à la section jeunesse/matériel pédagogique.

www.quebec-amerique.com